Arthur Honegger

DANSE DE LA CHÈVRE

Flûte • Flute • Flöte • Flauto

Introduction historique • *Historical introduction* • Einleitung • *Introduzione storica*

Edmond Lemaître

Notes d'interprétation • *Notes on interpretation*
Anmerkungen zur Interpretation • *Note per l'interpretazione*

Bruno Jouard

ÉDITIONS SALABERT

édition du 8 janvier 2017

EAS 20370

Table – Contents – Inhalt – Indice

Danse de la chèvre
Pièce chorégraphique

Musique et théâtre

Dans le corpus d'œuvres d'Arthur Honegger (1892–1955), on compte plusieurs pièces de chambre qui se rapportent à la scène. En dehors de l'œuvre qui nous intéresse on retiendra particulièrement *Antigone* pour hautbois et harpe, partition réalisée pour la pièce éponyme de Jean Cocteau en 1922 qui sera à l'origine de l'opéra du même titre ou encore la musique destinée à soutenir une diction d'extraits du *Cantique des cantiques* que lui avait commandée la récitante Chochana Avivitt (1926). Parmi la dizaine d'œuvres qui appartient à cette catégorie des pièces de chambre d'origine scénique, seule la *Danse de la chèvre* fut éditée. Au sein du spectacle auquel elle participait elle n'était qu'un évènement mineur, un auxiliaire sonore. Pourtant la postérité a oublié le spectacle principal, ne retenant que les quelque trois minutes de musique pour flûte. De ce fait elle rejoint *Syrinx* de Claude Debussy qui en 1913 s'intégrait aussi à une pièce de théâtre[1] tout en inaugurant une série d'œuvres pour flûte solo dont la *Danse de la chèvre* représente le second maillon.

Genèse

On a longtemps cru que la composition remontait à l'année 1919. Aujourd'hui cette supposition est abandonnée. Dans une lettre à sa mère datée du 19 novembre 1921, le compositeur écrit qu'il a une «commande d'une petite musique de scène pour une pièce qui passe au début de décembre au Nouveau Théâtre[2]. Une petite danse pour la danseuse Lysana»[3]. Cette «petite musique» fut rapidement composée car, une semaine plus tard, le 26 novembre, Honegger précise: «J'ai écrit en une matinée une danse pour le Nouveau Théâtre qui sera jouée à partir du 5»[4]. Cependant l'œuvre ne fut pas créée le 5 mais le 2 décembre 1921. Elle prenait place au sein d'une pièce de Sacha Derek intitulée *La Mauvaise Pensée*, spectacle dans lequel la *Danse de la chèvre* donnait lieu à un véritable moment chorégraphique.

L'année 1921 appartient encore à l'ère Dada. Au début de cette année-là, Honegger avait participé aux *Mariés de la Tour Eiffel*, spectacle imaginé par Jean Cocteau pour le Groupe des Six[5], en composant une page intitulée « La Noce massacrée ». La composition du *Roi David* appartient aussi à cette époque. Au moment où il compose la *Danse de la chèvre*, il vient de débuter l'écriture de *Skating-Rink*, ballet pour patins à roulettes qui sera créé par les Ballets suédois en janvier 1922[6].

Lysana, danseuse

C'est la danseuse Jane Lysana qui exécuta la *Danse de la chèvre* à sa création et qui probablement établit sa propre chorégraphie dont il semble ne rien rester.

Cette célébrité de la Belle Époque, à la fois danseuse et mime qui fut liée aux activités musicales du Groupe des Six, semble ne pas vouloir tout à fait révéler son identité. Elle est plusieurs fois cataloguée comme artiste chorégraphique. On sait qu'elle intervint dans plusieurs productions en dansant sur des morceaux classiques qui n'avaient pas été composés en vue d'une représentation chorégraphique. Ainsi dans le journal *L'Ouest-Éclair* du 4 juin 1929, relatant d'un programme donné au Palais d'Orsay et diffusé à la radio (TSF) et dans lequel fut joué *Reflets dans l'eau* de Claude Debussy, on lit que « Mlle Lysana et sa partenaire » dansèrent sur la *Danse de Puck* du même Debussy[7], compositeur dont l'œuvre semble particulièrement attirer son attention car, en 1932, elle dansera sur *La plus que lente*[8]. De toute évidence

[1] C'est à la demande de l'auteur Gabriel Mourey pour sa pièce *Psyché* que Claude Debussy (1862–1918) écrit *Syrinx*. À l'origine, elle portait le titre de *La Flûte de Pan*; elle représentait le chant de Pan à ses derniers instants (Acte III, scène 1).

[2] Plusieurs salles parisiennes reçurent l'appellation « Nouveau-Théâtre ». Entre 1921 et 1922, Nouveau-Théâtre semble désigner seulement le Théâtre Grévin installé au cœur du musée Grévin, boulevard Montmartre.

[3] Arthur Honegger, *Lettres à ses parents 1914–1922*, préfacées et annotées par Harry Halbreich, Genève, Éditions Papillon, 2005, lettre nº 123, p 313.

[4] Arthur Honegger, *Lettres à ses parents 1914–1922*, lettre nº 124, p 315.

[5] Pour l'occasion le Groupe des Six fut réduit à cinq car Louis Durey ne participa pas à cette production.

[6] Ballet de Ricciotto Canudo pour patins à roulettes créé le 20 janvier 1922 à Paris au Théâtre des Champs-Élysées par Les Ballets suédois de Rolf de Maré ; chorégraphie de Jean Börlin, décors de Fernand Léger.

[7] Soirée donnée par la Société des Chirurgiens de Paris.

[8] Article dans *Le Journal* du 27 janvier 1932.

Lysana ne paraît pas appartenir au monde de la danse classique mais se rattache sans contestation possible à l'univers des spectacles de Revues dansées, travaillant dans divers établissements. Lorsqu'elle apparaît en photo dans le mensuel *Les Modes* en 1919, habillée par Redfern, elle est dénommée : « Mlle Lysana du Théâtre de la Renaissance »[9]. En 1921, année où elle crée la *Danse de la chèvre*, elle est qualifiée de danseuse « du Théâtre des Champs-Élysées de Paris »[10]. Plus tard, dans le journal *L'Auvergne littéraire* de novembre 1934, on la présente comme « danseuse étoile et maîtresse de ballets au Casino de Paris ». De quel type fut sa chorégraphie, quel était son costume ? Joua-t-elle sur l'érotisme dont elle semble être coutumière ? On peut l'imaginer, surtout si l'on considère la teneur du roman intitulé *Plein feu* qu'elle écrit au milieu des années 1930[11] ou encore la tenue fort déshabillée qu'elle affiche sur la couverture de la revue *Paris Plaisirs* en 1925[12] ou enfin le commentaire du supplément littéraire du journal *Le Figaro* du 13 avril 1919 relatant la création de la comédie intitulée *Lysistrata ou La Grève des femmes* dans laquelle Lysana fut particulièrement remarquée : « [...] nous avons frénétiquement applaudi deux pas d'un pittoresque échevelé que Mmes Jane Lysana et Karyatis ont dansé avec une furia et une nudité de premier ordre »[13].

René Le Roy, dédicataire

René Le Roy (1898 – 1985), fut élève de Philippe Gaubert au Conservatoire national supérieur de musique de Paris. Plus tard il deviendra lui-même professeur dans ce prestigieux établissement[14]. Rappelons qu'il est aussi l'auteur d'un *Traité de la flûte* et que de 1952 à 1968 il tint le poste de flûte solo au New York City Opera Orchestra. D'autre part, l'interprète soliste se double d'un fervent défenseur de la musique de chambre, activité qu'il développa principalement au sein du Quintette instrumental de Paris (flûte, harpe et trio à cordes) qu'il créa en 1922 avec le harpiste Marcel Grandjany[15].

Comme bien d'autres musiciens, le compositeur Albert Roussel fut fasciné par le jeu de cet interprète :

> Il semble, lorsqu'on entend René Le Roy, que jouer de la flûte soit la chose la plus facile au monde. Les sons s'envolent de l'instrument magique, se précipitent ou s'attardent, spirituels ou tendres, vifs ou langoureux, aussi purs, aussi nets dans les articulations rapides que dans les lentes mélopées, révélant chez le maître de cette flûte enchantée la plus souple technique jointe à une exceptionnelle musicalité.

Après Arthur Honegger, d'autres compositeurs lui dédièrent une œuvre : Jean Rivier (*Oiseaux tendres* pour flûte seule, 1935), Joseph Guy-Ropartz (*Sonatine* pour flûte et piano, 1931), André Jolivet (*4e Incantation*, 1936) ou encore Bohuslav Martinů (*Sonate en trio* pour flûte, violoncelle et piano, 1943).

Sources

La *Danse de la chèvre* porte le numéro de catalogue H 39[16].

Cms – Copie manuscrite (non autographe) : le manuscrit autographe original n'a pas été retrouvé. En conséquence, la source la plus ancienne tient en une copie manuscrite établie par une autre main que celle du compositeur et qui, par les indications de mise en page qu'elle comporte, semble être la préparation pour la première édition.

E1 – Première édition : l'œuvre fut publiée pour la première fois en 1932, soit plus de dix années après sa création, aux Éditions Maurice Sénart. Cette maison d'éditions fondée à Paris par Maurice Sénart (1878 – 1962) en 1908 fut particulièrement attentive à l'activité des compositeurs modernes de l'époque. Ainsi relève-t-on au sein du catalogue les noms de Jean Cras, Charles Kœchlin, Gian Francesco Malipiero ou encore Darius Milhaud. Dès 1921, cet éditeur publia une œuvre d'Honegger (*Sonate no 1* pour violon), une vingtaine d'autres pièces d'Honegger s'inscrivirent au catalogue. Cette première édition de la *Danse de la chèvre* porte le numéro de cotage EMS 8438. À quelques exceptions près, elle est en concordance avec la copie manuscrite relevée plus haut. En 1941, les Éditions Salabert rachetèrent le fonds Maurice Sénart.

E2 – Deuxième édition : par la suite, les Éditions Salabert, à Paris, publièrent de nouveau l'œuvre en gardant la mention de copyright et le cotage d'origine : « Copyright by Éditions Maurice Sénart 1932 » ; « EMS 8438 ». Cette publication reprend celle

---

[9] *Les Modes*, no 200 de décembre 1919.

[10] *L'Express du Midi*, journal quotidien de Toulouse et du Sud-Ouest, du 27 août 1921.

[11] Publié aux Éditions Denoël en 1937 ; bref compte-rendu par Geneviève Hurel dans *La Nouvelle Revue Indochinoise*, avril 1938.

[12] *Paris Plaisirs*, no 26, 1925.

[13] Comédie de Jacques Richepin mêlée de musique composée par Michel-Maurice Lévy créée au Théâtre de la Renaissance.

[14] Au Conservatoire de Paris, il enseigna la Musique de chambre de 1952 à 1968. Il fut aussi professeur au Conservatoire américain de Fontainebleau (1932 – 1950) et au Conservatoire de Montréal (1943 – 1950).

[15] Cette double carrière de musicien de musique de chambre et de soliste lui fit parcourir toute l'Europe ; à partir de 1929 il se produisit régulièrement aux États-Unis où il s'installa de 1940 à 1950.

[16] Le catalogue de l'œuvre d'Arthur Honegger a été réalisé par Harry Halbreich ; H pour Honegger (et pour Halbreich).

de 1932 en la retouchant : corrections de certaines erreurs contenues dans l'éditions de 1932 et ajouts d'indications concernant le tempo, la dynamique et les altérations. L'origine de ces transformations reste hypothétique. Si l'on écarte qu'il puisse s'agir d'un retour au manuscrit original, on peut imaginer qu'elles proviennent de corrections apportées par le compositeur lui-même sur la première édition. Malheureusement l'épreuve qui servit à cette publication reste introuvable.

E3 – Troisième édition : « édition revue et corrigée par Patrick Butin » publiée à Paris en 2004 aux éditions Salabert après comparaison des sources citées ci-dessus et commentaires critiques (même cotage que E1 et E2). Cette publication corrige aussi les erreurs évidentes de E1, E2 ainsi que celles de la copie manuscrite.

Principe éditorial

La présente édition reprend la gravure de E3 telle qu'elle apparaissait dans le recueil intitulé *15 Solos pour flûte du XXe siècle* publié aux éditions Durand à Paris en 2012 (nº de cotage DF 15913) en corrigeant toutefois la date de composition de l'œuvre[17]. Pour reprendre quelques remarques de Patrick Butin, on insistera sur le fait que les différentes mentions et signes placés entre crochets [ ] appartiennent à E2 ; ceci affecte particulièrement le tempo et les indications de dynamique. On apportera une attention particulière au *mi*♭ du 2e temps de la mesure 48 : le ♭ avait été oublié dans les éditions précédentes. De même, Patrick Butin corrige le *do* aigu du 2e temps de la mesure 50 : il s'agit d'une ♪ et non pas d'une 𝅘𝅥𝅯 comme noté dans E1 et E2.

Edmond Lemaître

[17] Dans le recueil cité la date indiquée est 1919.

Notes d'interprétation

Les notes d'interprétation suivantes sont des suggestions, simples matières à réflexion, permettant à chacun de trouver le chemin de sa propre expression musicale.

Je citerais Jean-Baptiste Dupuits des Bricettes : « Il est indifférent qu'on se soit un peu écarté de la règle, pourvu qu'on rende la pièce aussi sensible, et aussi parfaitement que si on l'avait suivie » (*Principes pour toucher de la vièle,* 1741).

La *Danse de la chèvre*

Tout est dans le titre ou presque ! Un titre évocateur suggérant un monde imaginaire et mystérieux presque mythologique. C'est un véritable tableau de la nature, une esquisse, pareille à une improvisation sur laquelle les couleurs et la virtuosité de la flûte peignent une chèvre se lançant dans une danse enfiévrée, presque rituelle, ponctuée par des phases de repos méritées. Serait-ce le *Syrinx* d'Honegger ?

L'interprétation

Afin d'obtenir une interprétation sensible et censée, plusieurs documents doivent être pris en compte aujourd'hui : les éditions ultérieures, une bonne analyse de l'œuvre, l'enregistrement du flûtiste René Le Roy et divers documents sur le compositeur.

La *Danse de la chèvre* est pensée en trois parties : **Lent / Vif / Lent.**

A – Lent : le réveil de la chèvre

Cette première partie est l'introduction de la pièce, c'est un « lent » en devenir.

L'atmosphère douce et mystérieuse du repos de ce début sera préservée tout en gardant la nuance *p* et en utilisant un vibrato discret voire inexistant. Cependant on veillera à une bonne consistance sonore du *do* grave, essentielle à la justesse de l'intervalle de quarte augmentée ou triton (*do – fa*♯) donnant une tension particulière à cette partie car elle est l'intervalle dissonant par excellence. Donner au *fa*♯ une couleur solaire en le timbrant un peu moins que le *do*.

À la fin de la mesure 5, un « sursaut » dans la nuance est préparé par les deux triolets précédents, on restera dans les mezzo-piano voire mezzo-forte, et pour préserver cet élan (*mi – fa – la*♭) vers le *la*♭, mesure 5, il faudra respirer mesure 4 quatrième temps entre le *mi* et *fa* (croches).

Afin de rendre au mieux l'effet de surprise de la mesure 7, on pourrait rajouter un point d'arrêt court sur le 𝄾 de la fin de la mesure 6.

Le « rêve » de la *Danse*, à la mesure 7, est un **Vif** en ralenti vers le point d'arrêt, pour reprendre **A tempo** mesure 8. Le contraste des nuances doit être fort, et il faudra respecter le *p* tout en gardant encore une fois une bonne consistance sonore sur le *do*, mais sans le forcer. Le triolet et la croche des troisième et quatrième temps doivent être jouées courts, car ce passage est le reflet de la mesure 60.

La mesure 10 sonne le glas du repos et annonce la *Danse*, le crescendo accompagné d'un détaché plus prononcé et d'un vibrato plus présent amèneront le *si*♭ de la mesure 11 comme un « appel » qu'il conviendra de faire ressortir. Il faudra veiller à ce que le 𝄾 mesure 13 soit court car le tempo **Vif** est amené par l'accelerando de la mesure 12, l'énergie apportée ne doit en aucun cas retomber.

B – Vif : la Danse

Cette partie se découpe en quatre sous-parties: **Vif – Plus lent – Vif (Vif / poco rit / Tempo) – Un peu plus lent**.

Deux qualités techniques doivent être maîtrisées dans ce mouvement:

- un détaché simple très précis, rapide et contrôlé;
- des respirations rapides et aux bons moments.

En ce qui concerne la légèreté, l'un des points importants est l'articulation de la sicilienne.

Les ténutos, qu'ils soient d'origine ou rajoutés par une autre main que celle du compositeur, ont pour fonction de mettre en avant la note (prendre appui) pour donner ce côté « bondissant », valable pour les premiers temps.

Les ténutos entre crochets sur les *fa*, *sol* ou *mi* des mesures 14, 15, 16, 19, 36, 45, 46 ont été rajoutés dans la seconde édition. À la mesure 49 le thème est exposé une dernière fois, et les *fa* sont piqués. Une autre possibilité serait donc de les piquer aussi dès le début de la Danse, aux mesures 14, 15, 16, 19.

Les ténutos de la mesure 34 peuvent être considérés uniquement pour les deux *la* de la fin de mesure (cf ***rall***) car son début est toujours au tempo **Vif**. Mesure 36 : le *sol* peut être ténuto car le tempo est plus lent, ainsi que pour les mesures 45 et 46 pour les *mi*, *fa*, *sol* aigus afin de mieux amener le *si*♭ aigu : point culminant.

L'alternative aux ténutos serait de renforcer les notes mais en les jouant un peu plus fortes et courtes.

Les deux *fa* médium (croches) mesure 27 et *fa* aigu mesure 28 gagneraient à être piqués car les motifs «fusées» sont un développement du thème, et doivent donc rester énergiques. Il en va de même pour la mesure 29 avec le *fa* médium et *fa* aigu.

Ce côté un peu mécanique des mouvements de l'animal se fait aussi par la répétition de ces motifs «fusées» comme, par exemple, aux mesures 27 – 29, 30 – 32 mais aussi mesures 42 – 43 etc.

La légèreté c'est aussi notre manière de penser la mesure, il me semble que nous serons plus à même de servir l'œuvre en pensant à la mesure plutôt qu'à la noire pointée.

Cette légèreté est étroitement liée à la régularité, c'est pourquoi on prendra un soin tout particulier à ne pas jouer la noire du deuxième temps trop longue afin de ne pas alourdir le tempo de cette partie.

Les respirations dans la première partie de la *Danse* ne sont pas indiquées ou ne semblent pas optimales. La première respiration à mon sens serait à la mesure 16, après le *do* noire 2e temps. La prochaine respiration serait après la cadence de la mesure 19, après le *do* noire 2e temps.

Un contraste entre danse dynamique et repos

Les deux parties **Plus lent** des mesures 35 et 54 au côté « Pastorale » doivent être pensées par deux mesures. On apportera donc une couleur de son plus détendue et plus moelleuse.

À la mesure 35, le **Plus lent** est indiqué entre crochets mais il est évident que cette partie est dans un tempo en deça et cela grâce à plusieurs indications : un ***rall*** à la mesure 34, la présence d'un legato chantant et le changement d'écriture rythmique qui passe de:

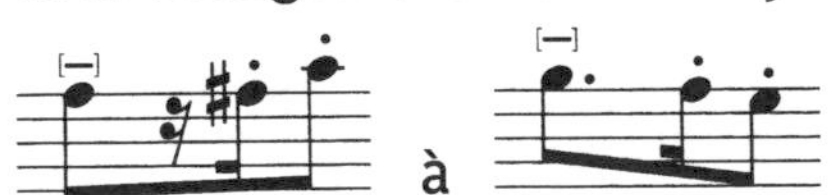

Cependant le rythme significatif de sicilienne du thème de la danse avec le 𝄿 est indiqué de nouveau mesure 41, il sera donc judicieux de faire l'*accelerando* (proposé dans les éditions ultérieures) en partant de la mesure 38 troisième temps jusqu'à cette mesure 41.

Le point culminant de la pièce

La *Danse* prend plus d'ampleur et gagne en tension avec les répétitions scandées de plus en plus aigües des sauts en doubles croches et en sicilienne pour enfin arriver au point culminant de la *Danse*: mesure 47 avec le *si* ♭ aigu ***ff***. Il est donc essentiel de maintenir la nuance ***f*** à partir de la mesure 40 jusqu'à la mesure 45, déclamer la mesure 46 pour pouvoir tout donner mesure 47.

Le **poco rit** de la mesure 48 doit être extrêmement léger et doit ramener l'interprète dans le tempo du **Vif**, je recommande donc que l'*accelerando* commençant mesure 38 amène un tempo beaucoup plus virtuose que le tempo de la *Danse*. On jouera le thème à la mesure 49, exposé en intégralité pour la dernière fois dans la nuance ***f***.

Le début de la fin

Le **Plus lent** d'origine de la mesure 54 est le début d'un retour progressif au **Lent** de l'introduction, les nuances ***mf*** mesure 54, ***mp*** mesure 56 et le *decrescendo* mesure 57 (rajoutés dans la seconde édition) seront essentiels pour pouvoir terminer la pièce entre ***p*** et ***pp***. On utilisera donc un détaché moins prononcé, et on respectera le **ritardando** léger, car le tempo doit « arriver » au **Lent** seulement à la mesure 62. La mesure 58 est donc plus lente et le tempo est en ritardando de nouveau sur les mesures suivantes : 59 et 60.

C – Lent : retour du repos

Le repos – **Lent** – de la fin termine cette pièce. Le son peut être moins défini, moins rond. On fera briller le dernier *mi* médium des mesures 64 et 65 comme une dernière lueur avant de retomber dans la nuance ***pp***, et cela sans ralentir, sur le *do* médium. L'harmonique qui n'est pas d'origine est au choix de l'interprète.

Bruno Jouard

Danse de la chèvre (*The goat's dance*)
Piece for dancing

Music and theatre

Among the works of Arthur Honegger (1892 – 1955), there are many chamber pieces connected with the stage. Besides the work currently in question, two stand out in particular: *Antigone* for oboe and harp (written in 1922 for Jean Cocteau's play of the same name, and the basis of Honegger's eponymous opera); and the music intended for a recital of extracts from *Cantique des cantiques*, commissioned from him by the *récitante* (professional speaker) Chochana Avivitt (1926). Among the ten or so works in this category of chamber pieces of theatrical origin, only *Danse de la chèvre* was published. Within the show itself it was only a minor event, a little background music. Yet posterity has forgotten the show and remembers only the three minutes of flute music. In this way *Danse de la chèvre* follows Debussy's *Syrinx* (which in 1913 was also part of a play[1]) as the second link in a chain of works for solo flute.

Origins

It was long thought that the composition occurred in 1919, but today that idea has been abandoned. In a letter to his mother dated 19 November 1921, Honegger wrote that he had a "commission for a bit of music for a play which is going on at the start of December at the Nouveau Théâtre.[2] A little dance for the dancer Lysana".[3] This "bit of music" was composed quickly, because a week later on 26 November, Honegger stated: "I wrote in one morning the dance for the Nouveau Théâtre which will be performed from the 5th".[4] In fact the work had its première on 2 December 1921, as part of a play by Sacha Derek called *La Mauvaise Pensée*, within which *Danse de la chèvre* gave rise to a true choreographic event.

1921 belongs to the era of Dada. At the start of the year, Honegger had taken part in the *Mariés de la Tour Eiffel*, a show conceived by Jean Cocteau pour Les Six,[5] writing a piece called *La Noce massacrée*. The composition of *Roi David* took place during this period. At the moment when he wrote *Danse de la chèvre*, he had just begun writing the music for *Skating-Rink*, a roller-skate ballet which was first performed by *Les Ballets suédois* in January 1922.[6]

Lysana, dancer

It was the dancer Jane Lysana who first performed *Danse de la chèvre,* probably creating her own choreography (though it seems none of it remains). This star of the *belle époque*, a dancer and mime artist who was connected to the activities of Les Six, seems to have wanted to conceal her identity somewhat. She is often listed as a dancer and choreographer. We know that she took part in many productions, dancing to pieces of classical music that were not written specifically for dance purposes. Thus the newspaper *L'Ouest-Éclair* of 4 June 1929, speaking of a programme performed at the Palais d'Orsay and broadcast on the radio (TSF) which included Debussy's *Reflets dans l'eau*, wrote that "Mlle Lysana and her partner" danced to the *Danse de Puck* by the same composer.[7] She seemed particularly drawn to the work of Debussy because in 1932 she danced to *La plus que lente.*[8] From all the evidence, Lysana appeared not to belong to the world of classical dance, but instead was linked to the entertainment world of revues and popular shows, working in various different establishments. When a photo of her (dressed by Redfern) appeared in 1919 in the monthly magazine *Les Modes* in 1919, she was described as "Mlle Lysana of the Théâtre de

---

[1] Claude Debussy (1862 – 1918) wrote *Syrinx* at the request of the author Gabriel Mourey, for his play *Psyché*. At first, it was called *La Flûte de Pan*; it represented Pan's song in his last moments (Act III, scene 1).

[2] Many Parisian establishments were given the name "Nouveau-Théâtre". Between 1921 and 1922, Nouveau-Théâtre appears to have referred only to the Théâtre Grévin, within the Musée Grévin on Boulevard Montmartre.

[3] Arthur Honegger, *Lettres à ses parents 1914 – 1922*, with a preface and annotations by Harry Halbreich, Geneva, Éditions Papillon, 2005, letter nº 123, p. 313.

[4] Arthur Honegger, *Lettres à ses parents 1914 – 1922*, letter nº 124, p. 315.

[5] On this occasion Les Six were only five, because Louis Durey did not attend the production.

[6] A roller-skate ballet by Ricciotto Canudo, first performed on 20 January 1922 at the Théâtre des Champs-Élysées by Rolf de Maré's *Les Ballets suédois*; choreography by Jean Borlin, design by Fernand Léger.

[7] An event organized by la Société des Chirurgiens de Paris.

[8] Article in *Le Journal* of 27 January 1932.

la Renaissance".[9] In 1921, the year when she gave the première of the *Danse de la chèvre*, she was described as a dancer "of the Théâtre des Champs-Élysées, Paris".[10] Later, in the journal *L'Auvergne littéraire* of November 1934, she was referred as "star dancer and *maîtresse de ballets* at the Casino de Paris". What were her choreography and costume like? Did she play on what appears to have been her customary eroticism? One can imagine so, especially if one considers the content of the novel *Plein feu* which she wrote in the middle of the 1930s,[11] or the confident state of undress she displayed on the cover of *Paris Plaisirs* in 1925,[12] or finally the comments in the literary supplement of *Le Figaro* of 13 April 1919 recounting a performance of *Lysistrata* in which Lysana was particularly noticed: "... we frenetically applauded two dances of wild, picturesque abandon which Jane Lysana et Karyatis performed with a fury and nudity of the first order".[13]

René Le Roy, dedicatee

René Le Roy (1898 – 1985), was a pupil of Philippe Gaubert at the *Conservatoire national supérieur de musique* in Paris. Later he himself became a professor at this prestigious establishment.[14] He was also the author of a book about flute-playing, and from 1952 to 1968 held the post of flute soloist in the New York City Opera Orchestra. Elsewhere, as a performer and soloist he was a fervent advocate of chamber music, an activity which he developed as part of the *Quintette instrumental de Paris* (flute, harp and string trio) which he formed in 1922 with the harpist Marcel Grandjany.[15]

Like many other musicians, the composer Albert Roussel was fascinated by Le Roy's playing:

> When you hear René Le Roy, it seems as if playing the flute were the easiest thing in the world. The sounds take flight from the enchanted instrument, hurrying or lingering, sharp or tender, lively or lazy, as pure, as distinct in rapid articulation as in slow, chant-like passages, revealing in the master of this magic flute the most flexible technique combined with an exceptional musicality.

After Arthur Honegger, other composers dedicated works to him: Jean Rivier (*Oiseaux tendres* for solo flute, 1935), Joseph Guy-Ropartz (*Sonatine* for flute and piano, 1931), André Jolivet (*4th Incantation*, 1936) and Bohuslav Martinů (*Trio sonata* for flute, cello and piano, 1943).

Sources

In the catalogue of Honegger's work, *Danse de la chèvre* bears the number H 39.[16]

Cms – Manuscript copy (not in the composer's hand): the composer's original manuscript has not been found. The oldest available source is a manuscript copy created by someone other than the composer, which – from the layout markings that it bears – appears to be the preparatory copy for the first edition.

E1 – First edition: the work was published for the first time in 1932, more than ten years after its composition, by Éditions Maurice Sénart. This company, founded in Paris in 1908 by Maurice Sénart (1878 – 1962), was particularly interested in the modern composers of the time. The catalogue also contains works by Jean Cras, Charles Kœchlin, Gian Francesco Malipiero and Darius Milhaud. The company first published Honegger's work in 1921 (the first violin sonata); thereafter some 20 other works by him were added to the catalogue.

This first publication of *Danse de la chèvre* bears the catalogue number EMS 8438. Apart from a few exceptions, it matches the manuscript copy mentioned above. In 1941, Éditions Salabert bought the Maurice Sénart catalogue.

E2 – Second edition: Subsequently, Éditions Salabert in Paris published the work again, keeping the copyright line and catalogue number of the original: "Copyright by Éditions Maurice Sénart 1932"; "EMS 8438". This version is based on the 1932 publication, with some adjustments: the correction of certain errors in the 1932 printings, and the addition of some tempo and dynamic indications and accidentals. The origin of these changes is debatable. If one rules out the possibility that they are the result of a return to the original manuscript, one could imagine that they come from corrections to the first edition which were supplied by the composer himself. Unfortunately the proof copy used for this publication is lost.

E3 – Third edition: "edition revised and corrected

[9] *Les Modes*, nº 200 of December 1919.

[10] *L'Express du Midi*, daily newspaper of Toulouse and the South-west, 27 August 1921.

[11] Published in 1937 by Éditions Denoël; brief report by Geneviève Hurel in *La Nouvelle Revue Indochinoise*, April 1938.

[12] *Paris Plaisirs*, nº 26.

[13] A comedy by Jacques Richepin, with music by Michel-Maurice Lévy, premièred at the Théâtre de la Renaissance.

[14] At the Paris Conservatoire, he taught chamber music from 1952 to 1968. He also taught at the American Conservatory at Fontainebleau (1932 – 1950) and at the Conservatoire de Montréal (1943 – 1950).

[15] This double career as chamber musician and soloist took him all over Europe; and from 1929 he appeared regularly in the USA, where he lived from 1940 to 1950.

[16] Arthur Honegger's catalogue of works was undertaken by Harry Halbreich; "H" is for Honegger (and for Halbreich).

by Patrick Butin" published in Paris in 2004 by Éditions Salabert after comparison with the sources cited above, with a critical commentary (same catalogue number as E1 and E2). This publication also corrects obvious errors in E1 and E2, as well as those in the manuscript copy Cms.

Editorial principles

The current edition reuses the engraving of E3 as it appeared in the album *15 Solos pour flûte du XXe siècle* published by Durand in Paris in 2012 (catalogue number DF 15913), correcting however the date of the work's composition.[17] To take up some of Patrick Butin's remarks, it must be stressed that the various instructions and signs placed between brackets [ ] come from E2; these particularly affect the tempo and dynamic indications. Special attention should be drawn to the E♭ in the second beat of bar 48; the flat symbol was forgotten in earlier editions. Likewise Patrick Butin corrected the high C on the second beat of bar 50, which should be a 𝅘𝅥𝅮, not a 𝅘𝅥𝅯 as shown in E1 and E2.

Edmond Lemaître
(translation by Anthony Marks)

[17] In this collection, the year of composition is given as 1919.

Notes on interpretation

The following notes on interpretation are suggestions, simple food for thought, to enable each performer to find the route to their own musical expression. To quote Jean-Baptiste Dupuits des Bricettes: "It doesn't matter if you bend the rules a bit, as long as you perform the piece as sensitively, and as perfectly, as if you had followed them" (*Principes pour toucher de la vièle,* 1741).

Danse de la chèvre

Everything is in the name, more or less! The evocative title suggests an imaginary world – mysterious, almost mythological. This is a veritable picture of nature, a sketch, a kind of improvisatory canvas on which the colours and virtuosity of the flute create a painting: an image of a goat, leaping into a feverish, almost ritual dance, punctuated by periods of well-earned rest. Is this Honegger's *Syrinx*?

Interpretation

In order to achieve a sensitive, focused interpretation, several elements must these days be taken into account: previous editions, a good analysis of the work, the recording by René Le Roy, and various documents about the composer.

Danse de la chèvre is conceived in three parts: **Lent / Vif / Lent.**

A – Lent: le réveil de la chèvre (Slow: The goat awakes)

This first part is the introduction to the piece: a slow section that gradually changes.

The quiet, mysterious air of rest at the opening must be preserved by a constant *p* and the use of a discreet, barely audible vibrato. However make sure that the low C has a good, substantial tone – this is essential for the accurate intonation of the augmented fourth or tritone (C – F♯), a dissonance *par excellence* which gives a particular tension to this section. Give the F♯ a slightly more luminous colour by letting it resonate a little less than the C.

Prepare for the shift in dynamics at the end of bar 5 by keeping the triplet groups in bars 4 and 5 mezzo-piano, even mezzo-forte. And to maintain the momentum towards the A♭ on the last beat, breathe between the E and F quavers in the last beat of bar 4.

To maximize the surprise effect in bar 7, try adding a short pause to the 𝄾 at the end of bar 6.

Bar 7 is like a dream or premonition of the dance. The tempo should be **Vif** – but slowing towards the pause to return to the **A tempo** in bar 8. The dynamic contrast between this bar and bar 5 should be well marked: observe the *pp* throughout while once again keeping a firm tone for the C (but without forcing it). The triplet and the quaver on the third and fourth beats should be kept short, because this passage reflects bar 60.

Bar 10 marks the end of the initial calm, announcing the Dance itself. The crescendo, together with a more pronounced *detaché* and a stronger vibrato will make the B♭ in bar 11 sound like a call: this should stand out clearly. Please pay attention: the 𝄾 in bar 13 must be short because the energy in the *accelerando* in bar 12 leads to the tempo **Vif** of the Dance; make sure this doesn't flag. Keep the final rest of bar 13 short.

B – Vif : la Danse (Fast: the dance)

This part falls into four smaller sections: **Vif – Plus lent – Vif (Vif / poco rit / Tempo) – Un peu plus Lent.**

Two elements of technique must be mastered in this part:

- a very precise, rapid and controlled *détaché*
- rapid breaths in the right places.

In terms of lightness, one important point is the articulation of the *siciliano* rhythm.

The *tenuto* marks, which were either in the original or added by someone other than the composer, serve to emphasize the notes to give a "leaping" quality to the first beats of the bar.

The *tenutos* in brackets on the notes F, G or E in bars 14, 15, 16, 19, 36, 45 and 46 were added in the second edition. At bar 49, where the theme appears for the last time, the F quavers are marked *staccato*. Another possibility could be, therefore, to make them *staccato* at the beginning of the Dance, in bars 14, 15, 16 and 19.

The *tenuto* marks in bar 34 can be considered to apply only to the last two notes, because the beginning of the bar is still at the tempo **Vif**.

Bar 36: the G could be *tenuto* because the tempo is slower; the same could be said for bars 45 and 46 for the high notes E, F, G in order to lead to the climactic high B♭. An alternative to the *tenutos* could be to stress the notes by making them slightly louder and shorter.

The two F quavers in bar 27 and the high F quaver in bar 28 could benefit from being played staccato because these "rocket" motifs are developments of the theme and should therefore still be energetic. The same goes for both F quavers in bar 29.

The repetition of such "rocket" motifs also produces a sense of slightly mechanical animal movement, as in, for example, bars 27–29, 30–32 and also 42–43.

The lightness also lies in how the beat is felt. It seems to me that the work may be better served here by imagining it as one in a bar rather than dotted crotchet beats. This lightness is closely linked to rhythmic regularity. For this reason it is important to take care not to make the crotchet on the second beat of the bar too long, otherwise the tempo in this section will become heavy.

The breathing points in the first part of the Dance are either not shown or appear not to be ideal. To me, the first breath should be in bar 16 after the C crotchet on the second beat, and the next should be at the end of the phrase in bar 19 – again, after the C crotchet on the second beat.

A contrast between dynamic movement and rest

The two sections marked **Plus lent** – at bars 35 and 54 – have a more "pastoral" feel and should be thought of in two-bar groupings. Use a more relaxed, softer tone colour.

At bar 35 the **Plus lent** is shown in brackets, but several things imply that this section should be at a reduced tempo: the ***rall*** in bar 34, the long, *cantabile* phrase-mark and the rhythmic notation, which changes from

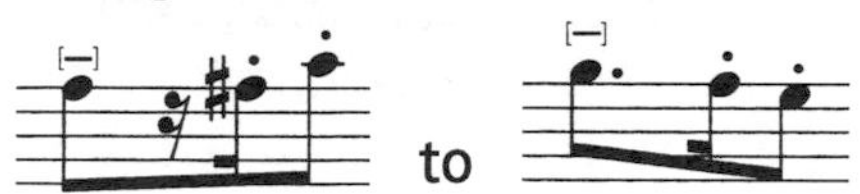

However the characteristic *siciliano* rhythm of the dance theme is shown *with* the 5 once more at bar 41, so at bar 38 it seems sensible to observe the *accelerando* shown in earlier editions, starting on the third beat and continuing until bar 41.

The climax of the piece

The *Dance* becomes fuller and grows in tension with semiquaver phrases and *siciliano* motifs repeated ever higher, until finally the piece reaches its culmination at the ***ff*** high B♭ in bar 47. It is therefore essential to maintain the dynamic ***f*** from bar 40 to bar 45, and to "declaim" bar 46 in order to give everything to bar 47.

The **poco rit** in bar 48 should be extremely light, returning to the tempo **Vif**. I recommend therefore that the *accelerando* which starts in bar 38 leads to a much faster, more virtuosic tempo than that of the Danse. From bar 49 the theme is played in its complete form for the last time, ***f***.

The beginning of the end

At bar 54 the direction **Plus lent** in the original marks the start of a gradual return to the **Lent** of the introduction. The dynamics ***mf*** (bar 54) and ***mp*** (bar 56) and the *decrescendo* (bar 57) were added in the second edition and are necessary to bring the piece to a close between ***p*** et ***pp***. Use a less pronounced *detaché*, and observe the slight *ritardando*, because the tempo should only arrive at the **Lent** in bar 62, not before. Bar 58 is therefore slower, and the tempo should reduce further in bars 59 and 60.

C – Lent: back to rest

The **Lent** at the end brings the piece to a close. The sound could be less definite, less round. Make the tied E across bars 64 and 65 shine like a last ray of light before falling away to the final note, ***pp***. The harmonic, which is not in the original, is at the player's discretion.

Bruno Jouard
(translation by Anthony Marks)

Danse de la chèvre (*Tanz der Ziege*)
Tanzstück

Musik und Theater

Im Werkkatalog von Arthur Honegger (1892–1955) finden sich einige Kammermusik-Kompositionen, die für die Bühne konzipiert wurden. Neben dem hier interessierenden Werk ist in diesem Zusammenhang besonders *Antigone* für Oboe und Harfe zu erwähnen, eine Partitur, die 1922 für das gleichnamige Stück von Jean Cocteau entstand und aus der sich später die Oper *Antigone* entwickelte. Zu nennen ist auch eine Komposition, die die Rezitatorin Chochana Avivitt bei ihm bestellt hatte, um damit ihren Vortrag von Auszügen aus dem *Hohenlied Salomos* zu untermalen (1926). Von den etwa ein Dutzend Werken, die zu dieser Kategorie von ursprünglich szenischen Kammermusikwerken gehören, wurde nur die *Danse de la chèvre* veröffentlicht. Sie war nur ein kleiner Teil des Bühnenwerks, in dessen Rahmen sie aufgeführt wurde, eine Art Szenenmusik. Doch die Nachwelt hat das Bühnenwerk vergessen und nur die etwa drei Minuten Musik für Flöte in Erinnerung behalten. Darin gleicht die Komposition Claude Debussys *Syrinx*, einem Werk, das 1913 ebenfalls zu einem Theaterstück[1] gehörte und einen Reigen von Werken für Flöte solo eröffnete, in dem die *Danse de la chèvre* an zweiter Stelle steht.

Entstehungsgeschichte

Lange wurde 1919 als das Entstehungsjahr der Komposition angenommen, was heute als überholt gelten kann. In einem Brief an seine Mutter vom 19. November 1921 schrieb der Komponist, er habe „einen Auftrag für eine kleine szenische Musik für ein Stück, das Anfang Dezember im Nouveau Théâtre[2] auf die Bühne kommt. Ein kleiner Tanz für die Tänzerin Lysana".[3] Diese „kleine Musik" wurde schnell komponiert, denn schon eine Woche später, am 26. November, schrieb Honegger noch genauer: „Ich habe an einem Vormittag einen Tanz für das Nouveau Théâtre geschrieben, der ab dem 5. aufgeführt wird".[4] Doch die Komposition wurde nicht am 5., sondern schon am 2. Dezember 1921 uraufgeführt. Sie gehörte zu einem Stück von Sacha Derek mit dem Titel *La Mauvaise Pensée*, einem Werk, in dem die *Danse de la chèvre* der Anlass zu einer Tanzeinlage war.

Das Jahr 1921 gehört noch zur Ära des Dada. Am Anfang dieses Jahres hatte Honegger mit der Komposition *La Noce massacrée* an *Les Mariés de la Tour Eiffel* mitgewirkt, einem Stück, das Cocteau für die Groupe des Six[5] geschrieben hatte. Die Komposition des *Roi David* fällt ebenfalls in diese Zeit. Als er die *Danse de la chèvre* schrieb, hatte er gerade die Komposition des Rollschuhballetts *Skating-Rink* begonnen, das im Januar 1922 von den Ballets suédois uraufgeführt wurde.[6]

Die Tänzerin Lysana

Die Uraufführung der *Danse de la chèvre* tanzte die Tänzerin Jane Lysana in ihrer eigenen Choreographie, von der nichts erhalten zu sein scheint.

Diese Berühmtheit der *belle époque*, die zugleich Tänzerin und Pantomimin war, gehörte zum Umkreis der Groupe des Six, doch es scheint, dass sie ihre Identität nicht vollkommen preisgeben wollte. Sie wird mehrfach als Choreographin genannt. Es ist außerdem bekannt, dass sie in einer Reihe von Produktionen auftrat, in denen sie zu klassischen Stücken tanzte, die ursprünglich nicht für eine Ballettaufführung gedacht waren. So erwähnt die Zeitung *L'Ouest-Éclair* vom 4. Juni 1929 in einem Bericht über ein im Palais d'Orsay gespieltes und im Radio (TSF) übertragenes Programm, in dem Claude

[1] Claude Debussy (1862–1918) schrieb *Syrinx* auf Wunsch des Autors Gabriel Mourey für dessen Stück *Psyché*. Ursprünglich trug das Werk den Titel *La Flûte de Pan*; es stand für Pans Gesang in den letzten Augenblicken vor seinem Tod (3. Akt, 1. Szene).

[2] Mehrere Bühnen in Paris trugen den Namen „Nouveau-Théâtre". Zwischen 1921 und 1922 scheint aber nur das Théâtre Grevin im Musée Grevin am Boulevard Montmartre mit Nouveau-Théâtre bezeichnet worden zu sein.

[3] Arthur Honegger. *Lettres à ses parents 1914–1922.* Mit einem Vorwort und Anmerkungen von Harry Halbreich. Genf (Éditions Papillon) 2005. Brief Nr 123, S 313.

[4] Arthur Honegger. *Lettres à ses parents 1914–1922.* A.a.O., Brief Nr 124, S 315.

[5] Für dieses Stück bestand die Groupe des Six allerdings nur aus fünf Mitgliedern, da Louis Durey sich nicht an dieser Produktion beteiligte.

[6] Rollschuhballett von Ricciotto Canudo, uraufgeführt am 20. Januar 1922 in Paris im Théâtre des Champs-Élysées durch die von Rolf de Maré gegründete Truppe Les Ballets suédois; Choreographie von Jean Börlin, Bühnenbild von Fernand Léger.

Debussys *Reflets dans l'eau* gespielt wurde, dass darin auch Debussys *Danse de Puck* aufgeführt wurde und „Mlle Lysana und ihre Partnerin" dazu tanzten.[7]

Für das Werk dieses Komponisten interessierte sich Lysana scheinbar ganz besonders, denn 1932 tanzte sie auch zu *La plus que lente*.[8] Offensichtlich gehörte Lysana nicht in die Welt des klassischen Balletttanzes, unbestritten ist dagegen eine Verbindung zur Welt der Tanzrevue, wobei sie bei verschiedenen Veranstaltern gearbeitet hat. Als 1919 in der monatlich erscheinenden Zeitschrift *Les Modes* ein Photo von ihr gedruckt wurde, auf dem sie Kleider von Redfern trägt, wurde sie als „Mlle Lysana vom Théâtre de la Renaissance"[9] bezeichnet. Im Jahr 1921, dem Jahr, in dem sie Honeggers *Danse de la chèvre* uraufführte, wurde sie als Tänzerin des „Théâtre des Champs-Élysées de Paris" bezeichnet.[10] Später wurde sie in der Zeitung *L'Auvergne littéraire* vom November 1934 als „Solotänzerin und Ballettmeisterin im Casino de Paris" vorgestellt. Wie war ihr choreographischer Stil, wie sah ihr Kostüm aus? Spielte sie mit der Erotik, wie sie es offenbar auch sonst tat? Man kann das annehmen, besonders, wenn man den Inhalt des Romans *Plein feu* betrachtet, den sie Mitte der 1930er Jahre schrieb,[11] oder die recht sparsame Bekleidung, in der sie 1925 auf dem Plakat zur Revue *Paris Plaisirs* zu sehen ist[12] oder auch den Kommentar des *Supplément littéraire* der Zeitung *Le Figaro* vom 13. April 1919, in dem von der Uraufführung der Komödie *Lysistrata ou La Grève des femmes* berichtet wird, in der Lysana besondere Aufmerksamkeit auf sich zog: „[...] frenetisch haben wir zwei hemmungslos pittoresken *pas de deux* applaudiert, bei denen die Damen Jane Lysana und Karyatis erstklassige Raserei und Nacktheit zeigten".[13]

Der Widmungsträger René Le Roy

René Le Roy (1898 – 1985) war am Conservatoire national supérieur de musique in Paris Schüler von Philippe Gaubert. Später wurde er selbst Professor an diesem angesehenen Konservatorium.[14] Er verfasste einen *Traité de la flûte* und war 1952 – 1968 Soloflötist des New York City Opera Orchestra. Doch er trat nicht nur als Solist auf, sondern engagierte sich zugleich begeistert für die Kammermusik, insbesondere mit dem Quintette instrumental de Paris (Flöte, Harfe und Streichtrio), das er 1922 mit dem Harfenisten Marcel Grandjany gegründet hatte.[15]

Wie viele andere Musiker war auch der Komponist Albert Roussel fasziniert vom Spiel dieses Interpreten:

> Wenn man René Le Roy hört, scheint es, als wäre Flötespielen das einfachste auf der Welt – die Klänge fliegen aus dem magischen Instrument, eilen oder verweilen, geistreich oder zart, lebhaft oder sehnsuchtsvoll, so rein, so klar in der schnellen, melodischen Artikulation, und zeigen bei diesem Meister der Zauberflöte die ausgefeilteste Technik und zugleich eine außerordentliche Musikalität.

Außer Arthur Honegger haben ihm auch andere Komponisten Werke gewidmet: Jean Rivier (*Oiseaux tendres* für Flöte solo, 1935), Joseph Guy-Ropartz (*Sonatine* für Flöte und Klavier, 1931), André Jolivet (*4e Incantation*, 1936) und Bohuslav Martinů (*Sonate en trio* für Flöte, Violoncello und Klavier, 1943).

Quellen

Die Komposition *Danse de la chèvre* wird im Werkkatalog unter der Nummer H 39 geführt.[16]

Cms – handschriftliche Kopie (kein Autograph): Das autographe Manuskript ist nicht bekannt. Darum ist die älteste Quelle eine handschriftliche Kopie von anderer Hand als der des Komponisten. Angaben zum Layout lassen darauf schließen, dass die Abschrift offenbar zur Vorbereitung der ersten Ausgabe benutzt wurde.

E1 – Erstausgabe: Das Werk erschien erst 1932 bei den Éditions Maurice Sénart, also mehr als zehn Jahre nach seiner Uraufführung. Der Verlag, der von Maurice Sénart (1878 – 1962) 1908 in Paris gegründet wurde, widmete dem Schaffen zeitgenössischer Komponisten besondere Aufmerksamkeit. So finden sich im Katalog die Namen Jean Cras, Charles Kœchlin, Gian Francesco Malipiero und Darius Milhaud. Schon 1921 veröffentlichte der Verlag ein Werk von Honegger (*Sonate* für Violine Nr 1), später kamen etwa zwanzig weitere Stücke dazu.

Die Erstausgabe von *Danse de la chèvre* trägt die Editionsnummer EMS 8438. Bis auf wenige Ausnahmen stimmt sie mit der oben bereits

---

[7] Der Abend wurde von der Société des Chirurgiens de Paris veranstaltet.

[8] Der Artikel erschien am 27. Januar 1932 in *Le Journal*.

[9] In: *Les Modes*. Nr 200, Dezember 1919.

[10] In: *L'Express du Midi. Journal quotidien de Toulouse et du Sud-Ouest*. 27. August 1921.

[11] Erschienen 1937 bei den Éditions Denoël; eine kurze Zusammenfassung von Geneviève Hurel findet sich in *La Nouvelle Revue Indochinoise*. April 1938.

[12] In: *Paris Plaisirs*. Nr 26, 1925.

[13] Komödie von Jacques Richepin mit Musikeinlagen von Michel-Maurice Lévy, uraufgeführt im Théâtre de la Renaissance.

[14] Er unterrichtete 1952 – 1968 Kammermusik im Conservatoire de Paris und war auch Professor am Conservatoire américain in Fontainebleau (1932 – 1950) und am Conservatoire in Montréal (1943 – 1950).

[15] Im Lauf seiner doppelten Karriere als Kammermusiker und Solist reiste er durch ganz Europa; ab 1929 trat er regelmäßig in den USA auf, wo er 1940 – 1950 lebte.

[16] Der Werkkatalog von Arthur Honegger wurde von Harry Halbreich erarbeitet; H für Honegger (und für Halbreich).

beschriebenen handschriftlichen Kopie überein. Die Éditions Salabert kauften 1941 den Katalog von Maurice Sénart.

E2 – Zweite Ausgabe: In der Folge publizierten die Éditions Salabert in Paris das Werk noch einmal, wobei Copyright und Editionsnummer der Erstausgabe beibehalten wurden: „Copyright by Éditions Maurice Sénart 1932" und „EMS 8438". Die Ausgabe übernimmt die von 1932, ist aber revidiert: Es finden sich Korrekturen von Irrtümern der Edition von 1932, Angaben zu Tempo, Dynamik und Versetzungszeichen wurden hinzugefügt. Es ist ungeklärt, woher diese Änderungen stammen. Sieht man von der Hypothese ab, dass es sich um ein Zurückgehen auf das Originalmanuskript handeln könnte, ist es vorstellbar, dass sie auf Korrekturen zurückgehen, die der Komponist selbst in die erste Edition eingetragen hat. Leider ist der Korrekturabzug verloren.

E3 – Dritte Ausgabe: „Revidierte und korrigierte Ausgabe von Patrick Butin", publiziert in Paris 2004 bei den Éditions Salabert nach Vergleich der oben bereits genannten Quellen und mit einem kritischen Kommentar versehen (dieselbe Editionsnummer wie E1 und E2). Diese Ausgabe korrigiert auch offensichtliche Fehler in E1 und E2 sowie im handschriftlichen Manuskript.

Editionsrichtlinien

Die vorliegende Edition übernimmt den Druck von E3 aus dem Sammelband *15 Solos pour flûte du XXe siècle*, die bei den Éditions Durand in Paris 2013 erschienen ist (Editionsnummer DF 15913), wobei allerdings das Kompositionsdatum des Werks korrigiert wurde.[17] Im Bezug auf einige Anmerkungen von Patrick Butin sollte darauf hingewiesen werden, dass die verschiedenen in eckige Klammern gesetzten Anmerkungen und Zeichen aus E2 stammen; das betrifft insbesondere Angaben zu Tempo und Dynamik. Besondere Aufmerksamkeit sollte dem es^2 in der zweiten Zählzeit in Takt 48 gelten: das ♭ war in den vorherigen Ausgaben vergessen worden. Ebenso korrigiert Patrick Butin das c^3 in der zweiten Zählzeit von Takt 50: Es handelt sich um ein ♩, nicht um ein ♪, wie es in E1 und E2 steht.

Edmond Lemaître
(deutsch von Birgit Gotzes)

[17] Der Sammelband nennt das Datum 1919.

Anmerkungen zur Interpretation

Die folgenden Anmerkungen zur Interpretation sind nur Vorschläge, Anregungen zum Nachdenken. Sie sollen es dem Interpreten erlauben, den Weg zum eigenen musikalischen Ausdruck zu finden.

Ich möchte dazu Jean-Baptiste Dupuits des Bricettes zitieren: „Es ist ohne Bedeutung, wenn man sich ein wenig von der Regel entfernt, vorausgesetzt, man spielt das Werk so einfühlsam und so perfekt, als hätte man sie befolgt" (*Principes pour toucher de la vièle,* 1741).

Die *Danse de la chèvre*

Im Titel ist schon alles oder fast alles gesagt. Es ist ein sprechender Titel, der eine fast mythologische, geheimnisvolle Welt der Phantasie evoziert. Ein echtes Naturbild, eine Skizze, eine Improvisation, in der die Farben und die Virtuosität der Flöte eine Ziege darstellen, die einen fiebrigen, fast rituellen Tanz beginnt, der durch Phasen der verdienten Ruhe noch betont wird. Ist diese Komposition vielleicht Honeggers *Syrinx*?

Interpretation

Für eine einfühlsame, durchdachte Interpretation sollte heute einiges Material herangezogen werden: die vorherigen Ausgaben, eine gute Analyse des Werks, die Aufnahme des Flötisten René Le Roy und Informationen über den Komponisten.

Die *Danse de la chèvre* ist in drei Teilen konzipiert: **Lent / Vif / Lent** (langsam / lebhaft / langsam).

A – Lent: Die Ziege wacht auf

Dieser erste Teil ist die Introduktion des Stücks, es ist ein „lent", das sich langsam entwickelt.

Die sanfte, geheimnisvolle Atmosphäre der Ruhephase sollte durch die Dynamik *p* und ein diskretes, fast unmerkliches Vibrato gezeigt werden. Doch sollte dabei auf eine schöne Klangfülle des c^1 geachtet werden, die für einen exakten Klang der übermäßigen Quarte, also des Tritonus (c^1 + fis^1) wesentlich ist, der diesem Teil eine besondere Spannung verleiht, denn er ist das dissonante Intervall par excellence. Das fis^1 sollte mit etwas weniger Timbre gespielt werden als das c^1 und dadurch eine strahlende Klangfarbe erhalten.

Ein „Aufschrecken" in der Dynamik am Ende von Takt 5 wird durch zwei vorangehende Triolen vorbereitet, man sollte hier im mezzo-piano oder mezzo-forte bleiben, und um diesen Schwung (e^2 – f^2 – as^2) hin auf das as^2 in Takt 5 beizubehalten, muss in Takt 4 in der vierten Zählzeit zwischen e^2 und f^2 (Achtel) geatmet werden.

Um den Überraschungseffekt in Takt 7 am besten wiederzugeben, könnte man eine kurze Fermate auf die 𝄾 am Ende von Takt 6 hinzufügen.

Der „Traum" vom Tanz in Takt 7 ist ein sich zur Fermate hin verlangsamendes **Vif**, in Takt 8 geht es **A tempo** weiter. Der Kontrast in den dynamischen Abstufungen muss sehr deutlich sein, und man muss das *pp* respektieren, dabei aber gleichzeitig noch einmal ein gutes Klangvolumen auf dem c^1 beibehalten, jedoch ohne dabei zu forcieren. Die Triole und die Achtel in der dritten und vierten Zählzeit müssen kurz gespielt werden, denn diese Passage bezieht sich auf auf Takt 60.

Takt 10 läutet das Ende der Ruhephase ein und kündigt den Tanz an; das von einem deutlicheren Staccato und einem präsenteren Vibrato begleitete crescendo leitet zum b^2 in Takt 11 über wie eine „Aufforderung", die herausgearbeitet werden sollte. Es muss darauf geachtet werden, dass die 𝄾 Takt 13 kurz ist, denn das Tempo **Vif** wird durch das accelerando in Takt 12 vorbereitet. Hier darf in der aufgewendeten Energie auf keinen Fall nachgelassen werden.

B – Vif: der Tanz

Dieser Teil besteht aus wiederum vier Teilen: **Vif – Plus lent – Vif (Vif / poco rit / Tempo) – Un peu plus Lent** (*lebhaft – langsamer – lebhaft (lebhaft / poco rit. / Tempo) – etwas langsamer*)

In diesem Satz müssen zwei Techniken beherrscht werden:

- ein einfaches, sehr präzises, schnelles und kontrolliertes Staccato;
- schnelles Atmen im richtigen Augenblick.

Im Bezug auf die Leichtigkeit ist die Phrasierung des Siciliano einer der wichtigsten Punkte.

Die Tenuti, ganz gleich, ob sie original sind oder durch eine andere Hand als die des Komponisten hinzugefügt wurden, haben die Funktion, die Note zu betonen (ihr Nachdruck zu verleihen), um das „Herumspringen" in den ersten Takten darzustellen.

Die in eckigen Klammern stehenden Tenutostriche bei den f^2, g^2 oder e^3 in den Takten 14, 15, 16, 19, 36, 45, 46 wurden in der zweiten Ausgabe hinzugefügt. In Takt 49 wird das Thema ein letztes Mal exponiert, die f^2 sind staccato. Anfang der *Danse* in den Takten 14, 15, 16, 19 staccato spielen.

Man kann überlegen, ob die Tenuti in Takt 34 nicht ausschließlich für die beiden a^2 am Ende des Taktes gelten sollen (s. ***rall***), denn der Anfang des Taktes steht noch im Tempo **Vif**. Takt 36: Das g^2 kann tenuto gespielt werden, denn das Tempo ist langsamer, und das gilt auch für die e^3, f^3 und g^3 in den Takten 45 und 46, um besser auf das b^3 hin zu steuern, den Höhepunkt.

Eine Alternative zu den Tenuti wäre es, die Noten zu betonen, in dem man sie etwas lauter und kürzer spielt.

Die beiden f^2 (Achtel) in Takt 27 und das f^3 in Takt 28 sollten staccato gespielt werden, denn die „aufsteigenden" Motive sind eine Entwicklung des Themas und müssen darum energiegeladen bleiben. Das gilt auch für das f^2 und das f^3 in Takt 29.

Die etwas mechanische Seite in den Bewegungen des Tieres entsteht auch durch die Wiederholung dieser „aufsteigenden" Motive, so etwa in den Takten 27 - 29, 30 - 32, aber auch in den Takten 42 - 43 usw.

Mit Leichtigkeit sollte auch der Takt angegangen werden, mir scheint, dass wir dem Werk mehr dienen, wenn wir an den Takt denken als an die punktierten Viertel.

Diese Leichtigkeit ist eng mit Genauigkeit verbunden, darum sollte besonders sorgfältig darauf geachtet werden, das Viertel in der zweiten Zählzeit nicht zu lang zu spielen, um das Tempo dieses Teils nicht zu schwerfällig werden zu lassen.

Atempausen sind im ersten Teil der *Danse* nicht angegeben oder scheinen nicht optimal. Die erste Möglichkeit zu atmen findet sich meiner Meinung nach in Takt 16 nach dem c^3 (Viertel) in der zweiten Zählzeit. Die nächste Möglichkeit bietet sich nach der Kadenz in Takt 19 nach dem c^3 (Viertel) in der zweiten Zählzeit.

Kontrast zwischen dynamischem Tanz und Ruhe

Bei den beiden mit **Plus lent** bezeichneten Teilen der Takte 35 und 54, die den Ton einer „Pastorale" anschlagen, müssen immer zwei Takte zusammen gedacht werden. Man sollte hier einen leichten, weichen Klang wählen.

In Takt 35 ist das **Plus lent** in eckige Klammern gesetzt, doch es ist klar, dass dieser Teil in einem langsameren Tempo zu spielen ist, und das dank mehrerer Angaben: einem ***rall*** in Takt 34, einem quasi gesungenen Legato und einer Veränderung in der rhythmischen Notation, die von

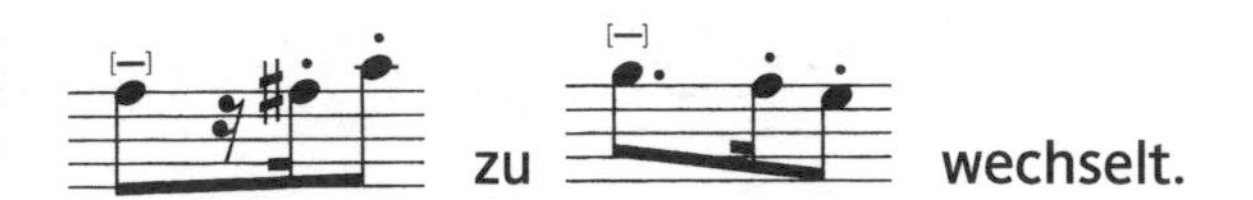

zu ... wechselt.

Jedoch kehrt der prägnante Rhythmus des Siciliano aus dem Tanz-Themas mit der 𝄿 in Takt 41 wieder, es ist also sinnvoll, das *accelerando* (das in den früheren Ausgaben vorgeschlagen wurde) ab der dritten Zählzeit von Takt 38 zu beginnen und bis zu Takt 41 fortzuführen.

Der Höhepunkt des Stücks

Der Tanz steigert sich nun weiter und erhält durch die immer mehr nach oben strebenden skandierten Wiederholungen in Sechzehnteln und im Siciliano-Takt immer mehr Spannung, um schließlich beim Höhepunkt des Tanzes anzukommen: Takt 47 mit dem b^3 im ***ff***. Es ist darum wesentlich, ab Takt 40 bis Takt 45 die Dynamik ***f*** beizubehalten, Takt 46 dann stärker zu betonen und in Takt 47 schließlich alles zu geben.

Das **poco rit** in Takt 48 muss extrem leicht sein und den Interpreten in das Tempo des mit **Vif** bezeichneten Teils zurückbringen. Ich empfehle darum, das in Takt 38 beginnende *accelerando* mit einem deutlich virtuoseren Tempo anzugehen als dem Tempo des Tanzes. Das ab Takt 49 zum letzten Mal vollständig exponierte Thema sollte ***f*** gespielt werden.

Der Anfang des Schlusses

Der wieder mit **Plus lent** bezeichnete Takt 54 markiert den Anfang einer fortschreitenden Rückkehr zum **Lent** der Introduktion, die dynamischen Vorschriften ***mf*** in Takt 54, ***mp*** in Takt 56 und das decrescendo in Takt 57 (die alle erst in der zweiten Ausgabe hinzugefügt wurden) sind wesentlich, um das Stück in einer Dynamik zwischen ***p*** und ***pp*** zu beenden. Man sollte darum ein weniger ausgeprägtes Staccato spielen, und das leichte ritardando beachten, denn das Tempo darf erst in Takt 62 bei **Lent** „ankommen". Takt 58 ist also langsamer, und das Tempo ist in den folgenden Takten 59 und 60 noch einmal ritardando.

C - Lent: Rückkehr zur Ruhe

Am Ende des Stückes kehrt mit **Lent** die Ruhe zurück. Der Ton kann weniger deutlich ausgeformt sein, weniger rund. Das letzte e^2 in den Takten 64 und 65 sollte strahlend sein wie ein letztes Aufleuchten, bevor man ein ***p*** auf dem c^2 erreicht, ohne dabei langsamer zu werden. Ob der mitklingende Ton gespielt wird, der nicht original ist, bleibt dem Interpreten überlassen.

Bruno Jouard
(deutsch von Birgit Gotzes)

Danse de la chèvre
Lavoro coreografico

Musica e teatro
Nel *corpus* delle opere di Arthur Honegger (1892–1955) figurano molte composizioni di musica da camera collegate alla scena. Oltre al lavoro in questione, si ricordano in particolare *Antigone* per oboe e arpa, realizzato per la pièce eponima di Jean Cocteau nel 1922 che sarà all'origine dell'opera omonima, o ancora la musica destinata ad accompagnare una declamazione di passi del *Cantico dei cantici* su commissione dell'attrice Shoshana Avivit (1926). Della decina di opere che appartengono a questo tipo di composizioni cameristiche di origine scenica, fu pubblicata solamente la *Danse de la chèvre* (*Danza della capra*). Il brano, nell'ambito dello spettacolo in cui era inserito, non era che un elemento di secondaria importanza, un ausilio sonoro. Eppure i posteri hanno dimenticato lo spettacolo principale, ricordandone solamente i tre minuti di musica per flauto. In questo si avvicina a *Syrinx* di Claude Debussy, che nel 1913 s'integrava allo stesso modo in un lavoro teatrale,[1] inaugurando una serie di opere per flauto solo di cui la *Danse de la chèvre* rappresenta il secondo tassello.

Genesi
Si è creduto a lungo che la composizione risalisse al 1919. Oggi questa ipotesi è stata accantonata. Il compositore, in una lettera indirizzata alla madre del 19 novembre 1921, scrive che ha ricevuto una "commissione per una piccola musica di scena per una pièce che debutterà all'inizio di dicembre presso il Nouveau Théâtre.[2] Una piccola danza per la ballerina Lysana".[3] Questa "piccola musica" è stata composta in breve tempo, poiché una settimana più tardi, il 26 novembre, Honegger precisa: "ho scritto, nel corso di una mattina, una danza per il Nouveau Théâtre che sarà eseguita a partire dal 5".[4] Ma la prima esecuzione dell'opera non fu il 5 bensì il 2 dicembre 1921. Era stata inserita all'interno di un lavoro di Sacha Derek dal titolo *La Mauvaise Pensée* (*Il cattivo pensiero*), spettacolo in cui la *Danse de la chèvre* dava luogo a un episodio coreografico.

Il 1921 appartiene ancora al periodo Dada. All'inizio di quell'anno, Honegger aveva partecipato a *Les mariés de la Tour Eiffel*, spettacolo immaginato da Jean Cocteau per il Gruppo dei Sei,[5] componendo una pagina dal titolo *La Noce massacrée*. Anche la composizione del *Roi David* appartiene a questo periodo. Nel momento in cui compone la *Danse de la chèvre*, egli inizia la scrittura di *Skating-Rink*, balletto per pattini a rotelle che sarà eseguito in prima assoluta dai Balletti svedesi nel gennaio 1922.[6]

Lysana, la ballerina
È la ballerina Jane Lysana a interpretare per la prima volta la *Danse de la chèvre* e a creare probabilmente la coreografia di cui sembra che nulla sia rimasto. Questa celebrità della *belle époque*, di volta in volta danzatrice e mimo che fu legata alle attività musicali del Groupe des Six, sembra non voler affatto rivelare la propria identità. È stata più volte catalogata come "artista coreografica". Si sa che è intervenuta in diverse produzioni, ballando su pezzi classici che non erano stati composti per una rappresentazione coreografica. Così nel giornale «L'Ouest-Éclair» del 4 giugno 1929, che riferiva di un programma dato al Palais d'Orsay e trasmesso alla radio (T.S.F.) in cui fu eseguito *Reflets dans l'eau* di Claude Debussy, si legge che "la signorina Lysana e il suo partner" hanno ballato sulla *Danse de Puck* dello stesso Debussy,[7] un compositore la cui opera sembra attirarla

[1] Claude Debussy (1862–1928) compone *Syrinx* in seguito alla richiesta del drammaturgo Gabriel Mourey per la sua *Psyché*. In origine la composizione s'intitolava *La Flûte de Pan* e rappresentava il canto di Pan nei suoi ultimi istanti (Atto III, scena 1).

[2] Molte sale parigine hanno ricevuto il nome di «Nouveau-Théâtre». Tra il 1921 e il 1922, Nouveau-Théâtre sembra designare solamente il Théâtre Grévin, aperto all'interno del Musée Grévin, sul Boulevard Montmartre.

[3] Arthur Honegger, *Lettres à ses parents 1914–1922*, prefazione e annotazioni di Harry Halbreich, Ginevra, Éditions Papillon, 2005, lettera nº 123, p. 313.

[4] Arthur Honegger, *Lettres à ses parents*, cit., lettera nº 124, p. 315.

[5] Per l'occasione il Groupe des Six fu ridotto a cinque poiché Louis Durey non partecipò a questa produzione.

[6] Balletto di Ricciotto Canudo per pattini a rotelle in prima esecuzione il 20 gennaio 1922 a Parigi al Théâtre des Champs-Élysées dai Balletti svedesi di Rolf de Maré; coreografia di Jean Borlin, scene di Fernand Léger.

[7] Serata organizzata dalla Société des Chirurgiens di Parigi.

particolarmente visto che, nel 1932, danzerà su *La plus que lente*.[8] Ovviamente Lysana non sembra appartenere al mondo della danza classica ma si collega senza dubbio all'ambiente dello spettacolo di rivista, lavorando in varie situazioni. Quando appare in alcune foto del mensile «Les Modes» nel 1919, vestita da Redfern, viene chiamata "Miss Lysana del Théâtre de la Renaissance".[9] Nel 1921, anno della prima della *Danse de la chèvre*, viene definita "ballerina del Théâtre des Champs-Élysées di Parigi".[10] Più tardi nel giornale «L'Auvergne littéraire» del novembre 1934, la presentano come "ballerina étoile e maestra di ballo al Casino de Paris". Com'era la sua coreografia, com'erano i suoi costumi? Giocava sull'erotismo come sembrava essere sua consuetudine? Ce lo possiamo immaginare, soprattutto se si considera il contenuto del romanzo intitolato *Plein feu* che scrive a metà degli anni '30,[11] o ancora la *mise* decisamente spregiudicata con cui compare sulla copertina della rivista «Paris Plaisirs» nel 1925[12] o, infine, la cronaca del supplemento letterario del quotidiano «Le Figaro» del 13 aprile 1919 che descrive la prima rappresentazione della commedia *Lysistrata ou La Grève des femmes* in cui Lysana si fece notare: "[...] abbiamo applaudito freneticamente un passo a due di uno sfrenato pittoresco che la signorina Jane Lysana e Karyatis hanno ballato con una furia e una nudità di prim'ordine".[13]

René Le Roy, il dedicatario

René Le Roy (1898 – 1985) è stato allievo di Philippe Gaubert presso il Conservatoire national supérieur de musique di Parigi. Più tardi divenne egli stesso professore in questa prestigiosa istituzione.[14] Ricordiamo che è anche l'autore di un *Traité de la flûte* e che dal 1952 al 1968 ha ricoperto la carica di primo flauto presso la New York City Opera Orchestra. D'altra parte l'interprete solista si sdoppia in un fervente difensore della musica da camera, attività che ha svolto principalmente nel Quintette instrumental de Paris (flauto, arpa e trio d'archi) fondato da lui stesso nel 1922 con l'arpista Marcel Grandjany.[15]

Il compositore Albert Roussel, come altri musicisti, fu affascinato dal modo di suonare di questo interprete:

> Quando ascoltiamo René Le Roy sembra che suonare il flauto sia la cosa più facile al mondo. I suoni volano dallo strumento magico, si precipitano o s'attardano, spirituali o teneri, vivaci o languidi, anche puri, anche netti sia nelle articolazioni rapide sia nelle lente melopee, rivelando la tecnica più morbida unita alla musicalità eccezionale di questo maestro del magico flauto.

Dopo Arthur Honegger, altri compositori gli dedicheranno un'opera: Jean Rivier (*Oiseaux tendres* per flauto solo, 1935), Joseph Guy-Ropartz (*Sonatine* per flauto e pianoforte, 1931), André Jolivet (*4e Incantation*, 1936) e ancora Bohuslav Martinů (*Sonate en trio* per flauto, violoncello e pianoforte, 1943).

Fonti

La *Danse de la chèvre* ha il numero di catalogo H 39[16].

Cms – Copia manoscritta (non autografa): il manoscritto autografo originale non è stato ritrovato. Di conseguenza la fonte più antica si identifica in una copia manoscritta redatta da mano diversa da quella del compositore e che, per le indicazioni di impaginazione in essa contenute, sembra essere la preparazione per la prima edizione.

E1 – Prima edizione: l'opera fu pubblicata per la prima volta nel 1932 dalle Éditions Maurice Sénart, più di dieci anni dopo la prima esecuzione. Questa casa editrice, fondata a Parigi da Maurice Sénart (1878 – 1962), nel 1908 fu particolarmente attenta all'attività dei compositori moderni dell'epoca. Quindi si notano nel catalogo i nomi di Jean Cras, Charles Kœchlin, Gian Francesco Malipiero e ancora Darius Milhaud. Nel 1921, l'editore pubblica un'opera di Honegger (*Sonate n° 1* per violino) e una ventina di altri pezzi di Honegger entreranno poi nel catalogo.

Questa prima edizione della *Danse de la chèvre* porta il numero di lastra E.M.S. 8438. A parte qualche eccezione, questa edizione concorda con la copia manoscritta di cui sopra. Nel 1941, le Éditions Salabert acquistarono il Fondo Maurice Sénart.

E2 – Seconda edizione: da allora in poi le edizioni Salabert, a Parigi, hanno pubblicato nuovamente il lavoro mantenendo il copyright e il numero di lastra

[8] Articolo ne «Le Journal» del 27 gennaio 1932.

[9] «Les Modes», n° 200 del dicembre 1919.

[10] «L'Express du Midi», quotidiano di Tolosa e del sud-ovest della Francia, del 27 agosto 1921.

[11] Pubblicato dalle Éditions Denoël nel 1937; breve rendiconto di Geneviève Hurel ne «La Nouvelle Revue Indochinoise», aprile 1938.

[12] «Paris Plaisirs», n° 26.

[13] Commedia di Jacques Richepin con musiche di scena composte da Michel-Maurice Lévy in prima esecuzione al Théâtre de la Renaissance.

[14] Insegna musica da camera al Conservatoire di Parigi dal 1952 al 1968. È anche stato professore al Conservatoire américain de Fontainebleau (1932 – 1950) e al Conservatoire de Montréal (1943 – 1950).

[15] Questa doppia carriera di musicista di musica da camera e di solista gli fece attraversare tutta l'Europa; a partire dal 1929 si esibisce regolarmente negli Stati Uniti dove si stabilisce tra il 1940 e il 1950.

[16] Il catalogo dell'opera di Arthur Honegger è stato compilato da Harry Halbreich; H sta per Honegger (e per Halbreich).

originale: "Copyright by Éditions Maurice Sénart 1932"; "E.M.S. 8438". Questa pubblicazione riprende quella del 1932 e la ritocca: ci sono correzioni di alcuni errori contenuti nell'edizione del 1932 e aggiunte di indicazioni relative al tempo, alla dinamica e alle alterazioni. L'origine di queste trasformazioni rimane ipotetica. Accantonando l'ipotesi che possa essere un ritorno al manoscritto originale, si può immaginare che provengano da correzioni alla prima edizione apportate dallo stesso compositore. Purtroppo la prova di stampa servita per questa pubblicazione non è stata trovata.

E3 – Terza edizione: "édition revue et corrigée par Patrick Butin" (edizione riveduta e corretta da Patrick Butin), pubblicata a Parigi nel 2004 per le edizioni Salabert dopo il confronto delle fonti sopra citate e dei commenti critici (stesso numero di lastra di E1 e E2). Questa pubblicazione corregge anche gli errori evidenti di E1, E2 e quelli della copia manoscritta.

Criteri editoriali

La presente edizione riprende la stampa di E3 come si presentava nella raccolta intitolata *15 Solos pour flûte du XXe siècle* (*15 assoli per flauto del XX secolo*) pubblicata da Durand a Parigi nel 2012 (numero di catalogo DF 15913) correggendo però la data di composizione dell'opera.[17] Per citare alcune osservazioni di Patrick Butin, ci si soffermerà sul fatto che le varie indicazioni e segni messi tra parentesi quadre [ ] appartengono a E2; questo riguarda in particolare il tempo e i segni dinamici. Presteremo particolare attenzione al Mi♭ del 2° tempo della battuta 48: il ♭ era stato tralasciato nelle precedenti edizioni. Allo stesso modo, Butin corregge il Do acuto del 2° tempo della battuta 50: si tratta in un ♩ e non di un ♪ come osservato in E1 e E2.

Edmond Lemaître
(traduzione di Luisella Molina)

[17] Nella raccolta citata la data indicata è 1919.

Note per l'interpretazione

Le seguenti note di interpretazione sono solo suggerimenti, semplici spunti di riflessione, che permettono ad ognuno di trovare la propria espressione musicale.

Vorrei citare Jean-Baptiste Dupuits des Bricettes: "È irrilevante il fatto che ci si allontani un po' dalla regola, purché nel contempo si renda il brano con sensibilità e alla perfezione come se la si stesse seguendo" (*Principes pour toucher de la vièle,* 1741).

La *Danse de la chèvre*

Tutto è nel titolo o quasi! Un titolo evocativo che suggerisce un mondo immaginario e misterioso quasi mitologico. Si tratta di un vero e proprio quadro di natura, uno schizzo, simile a un'improvvisazione nella quale i colori e il virtuosismo del flauto ritraggono una capra che si lancia in una danza febbrile, quasi rituale, scandita da meritate fasi di riposo. Potrebbe essere questa la *Syrinx* di Honegger?

L'interpretazione

Per arrivare a un'interpretazione attenta e appropriata, bisogna prendere in considerazione diversi elementi: le varie edizioni, una buona analisi dell'opera, l'incisione del flautista René Le Roy e diversi documenti sul compositore.

La *Danse de la chèvre* è articolata in tre parti: **Lent / Vif / Lent** (Lento / Vivace / Lento).

A – Lent: il risveglio della capra

Questa prima parte è l'introduzione del brano, è un "lento" in divenire. L'atmosfera dolce e misteriosa del riposo di questo inizio sarà mantenuta riferendosi all'indicazione dinamica ***p*** e utilizzando un vibrato discreto, quasi inesistente. Tuttavia si darà una buona consistenza sonora al Do iniziale, essenziale per la precisione dell'intervallo di quarta aumentata, ossia il tritono (Do – Fa♯), imprimendo una tensione particolare a questa parte perché esso è l'intervallo dissonante per eccellenza. Imprimere al Fa♯ un colore solare e marcarlo un po' meno del Do.

Alla fine della battuta 5, un "sussulto" nella dinamica viene preparato dalle due terzine precedenti, si rimarrà nel mezzo-piano o mezzo-forte, e per conservare questo slancio (Mi – Fa – La♭) verso il La♭, battuta 5, si dovrà respirare alla battuta 4, 4° tempo, tra il Mi e il Fa (crome). Per sfruttare al meglio l'effetto sorpresa della battuta 7, si potrebbe aggiungere una fermata corta sulla pausa di croma 𝄾 alla fine della battuta 6.

Il "sogno" della *Danse*, alla battuta 7, è un **Vif** in rallentando verso la pausa con corona, per riprendere **A tempo** alla battuta 8. Il contrasto delle dinamiche deve essere deciso e si dovrà rispettare l'indicazione ***pp*** imprimendo ancora una volta una buona consistenza sonora al Do, ma senza forzare. La terzina e la croma del 3° e 4° tempo devono essere suonate brevi, poiché questo passaggio è il riflesso della battuta 60.

La battuta 10 termina il riposo e annuncia la Danza, il crescendo accompagnato da uno staccato più pronunciato e da un vibrato più presente porteranno il Si♭ della battuta 11 a essere un "richiamo" che si dovrà far sentire. Si farà in modo che la pausa 𝄾 alla battuta 13 sia breve, poiché il tempo **Vif** è portato dall'accelerando della battuta 12, e l'energia fornita non deve in nessun caso venire a mancare.

B – Vif: la Danza

Questa parte è divisa in quattro sezioni: **Vif – Plus lent – Vif (Vif / poco rit. / Tempo) – Un peu plus Lent** ossia Vivace – Più lento – Vivace (Vivace / poco rit. / a Tempo) – Un po' più lento.

Due peculiarità tecniche devono essere gestite in questo movimento:

- uno staccato semplice molto preciso, rapido e controllato;
- dei respiri rapidi e nei momenti giusti.

Per quanto riguarda la leggerezza, uno dei punti importanti è l'articolazione della siciliana.

I trattini di tenuto, che siano originali o aggiunti da un'altra mano che non sia quella del compositore, servono a evidenziare la nota (appoggiata) per rendere questo aspetto "saltellante", riferito ai primi tempi. I trattini sui Fa, Sol o Mi (tra parentesi quadre) delle battute 14, 15, 16, 19, 36, 45, 46 sono stati aggiunti nella seconda edizione. Alla battuta 49 il tema è esposto per l'ultima volta e i Fa sono staccati. Un'altra possibilità sarebbe dunque staccarli sin dall'inizio della Danza, alle battute 14, 15, 16, 19.

I trattini di tenuto della battuta 34 possono essere considerati unicamente per i due La alla fine della battuta (si veda ***rall.***) poiché il suo inizio è sempre a tempo **Vif** (Vivace). Battuta 36: il Sol può essere tenuto poiché il tempo è più lento, come nelle battute

45 e 46 per i Mi, Fa, Sol acuto al fine di meglio portare al Si♭ acuto: il punto culminante.

L'alternativa ai tenuto sarà di rinforzare le note ma suonandole un po' più forti e brevi.

I due Fa (crome) della battuta 27 e il Fa acuto della battuta 28 beneficeranno nell'essere accentati poiché le volatine di sedicesimi sono uno sviluppo del tema e devono dunque rimanere energici. Questo vale anche per la battuta 29 con il Fa del 1° tempo e il Fa acuto.

Questo aspetto un po' meccanico dei movimenti dell'animale si rende anche con la ripetizione di queste volatine di sedicesimi come, ad esempio, alle battute 27–29, 30–32 ma anche alle battute 42–43 etc.

La leggerezza è anche il nostro modo di pensare la battuta, e mi sembra che saremo in grado di eseguire meglio il brano pensando alla battuta piuttosto che alla semiminima puntata.

Questa leggerezza è strettamente legata alla regolarità, è per questo che bisogna fare particolarmente attenzione a non suonare la semiminima del 2° tempo troppo lunga, per non appesantire troppo il tempo in questa sezione.

I respiri nella prima sezione della Danza non sono indicati o non sembrano ottimali. Il primo respiro, a mio parere, andrebbe fatto alla battuta 16, dopo il Do semiminima, 2° tempo. Il respiro successivo sarà dopo la cadenza della battuta 19, sempre dopo il Do semiminima, 2° tempo.

Un contrasto tra il movimento della danza e il riposo

Le due sezioni **Plus lent** alle battute 35 e 54, nella parte "pastorale", devono essere pensate su due battute. Si otterrà quindi un colore del suono più disteso e morbido. Alla battuta 35 il **Plus lent** è indicato tra parentesi quadre ma è ovvio che questa sezione è in un tempo simile e grazie a diverse indicazioni: un ***rall.*** alla battuta 34, la presenza di un legato cantabile e il cambiamento di scrittura ritmica che passa da:

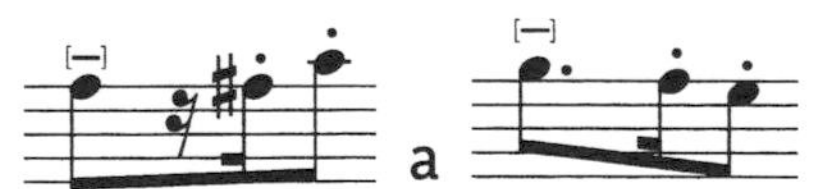

Tuttavia il ritmo significativo di siciliana del tema della danza con la pausa di semicroma 𝄿 è indicato di nuovo alla battuta 41, quindi sarà saggio fare l'*accelerando* (proposto nelle altre edizioni) a partire dalla battuta 38 3° tempo, fino a detta battuta 41.

Il culmine del brano

La Danza diventa più articolata e conquista una tensione con le ripetizioni scandite sempre più acute, i salti in semicrome e una siciliana per arrivare alla fine al punto culminante: la battuta 47 con il Si♭ acuto in ***ff***. È quindi essenziale mantenere la dinamica ***f*** a partire dalla battuta 40 sino alla 45, declamando la 46 per potere dare tutto il suono alla 47.

Il **poco rit.** della battuta 48 deve essere estremamente leggero e deve portare l'interprete al tempo **Vif** (Vivace); raccomando quindi che l'*accelerando*, cominciando alla battuta 38, porti ad un tempo molto più virtuosistico di quello della Danza. Si suonerà il tema della battuta 49, esposto integralmente per l'ultima volta, nella dinamica ***f***.

L'inizio della fine

Il **Plus lent** originale della battuta 54 è l'inizio di un ritorno progressivo al **Lent** dell'introduzione, le dinamiche ***mf*** a battuta 54, ***mp*** **alla** 56 e il diminuendo alla 57 (aggiunto nella seconda edizione) saranno essenziali per poter terminare il brano tra ***p*** e ***pp***. Utilizzeremo quindi uno staccato meno pronunciato e si rispetterà il leggero ritardando, poiché il tempo deve "arrivare" al **Lent** solamente alla battuta 62. La misura 58 è dunque più lenta e il tempo è di nuovo in ritardando sulle successive 59 e 60.

C – *Lent*: il ritorno del riposo

Il riposo – **Lent** – della fine termina il brano. Il suono può essere meno definito, meno rotondo. Faremo brillare l'ultimo Mi delle battute 64 e 65 come un ultimo barlume prima di ritornare nella dinamica del ***pp***, senza rallentare, sul Do. L'armonico, che non è originale, è a scelta dell'interprete.

Bruno Jouard
(traduzione di Luisella Molina)

à René Le Roy

DANSE DE LA CHÈVRE

Arthur Honegger
1921

Éditions Maurice Sénart

EAS 20370

32
dim.
dim. et rall.
[Plus lent]
35
p
plus doux
38
cresc.
[accelerando]
[Vif]
8va
f
41
(8va)
44
cresc.
ff
47
[très brillant]
poco rit.
Tempo
49
[f]
en diminuant
[Un peu] plus lent
52
[en rallentissant]
[mf]
55
[mp]
rit.
58
[p]
diminuendo e rit.
[pp]
lointain
[rit.]
61
Lent
3

Edmond Lemaître est un musicologue français issu du Conservatoire national supérieur de musique de Paris où il obtint un Premier Prix de Musicologie.
Sa thèse sur l'orchestre est à la base de la reconstitution de l'ensemble instrumental de Louis XIV, «Les Vingt-quatre Violons du roi». Rédacteur pour plusieurs dictionnaires musicaux (Éditions Bordas, Fayard) il a dirigé le *Guide de la musique sacrée. L'âge baroque* (Fayard). Éditeur de plusieurs œuvres de l'ère baroque pour les éditions du Centre national de la recherche scientifique ou du Centre de musique baroque de Versailles, il est aussi le responsable éditorial de l'édition critique monumentale des *Œuvres complètes de Claude Debussy* pour les Éditions Durand à Paris.
Ancien Directeur du Conservatoire de musique et de Danse de Massy (Essonne) et chargé de cours à l'Université d'Évry-Val d'Essonne (Histoire de la musique et Analyse), il mène depuis toujours une activité de conférencier pour des institutions prestigieuses.

Edmond Lemaître is a French musicologist who studied at the Conservatoire national supérieur de musique, Paris, where he was awarded the Premier Prix de Musicologie. His thesis on the history of the orchestra led to the reconstitution of the instrumental ensemble employed by Louis XIV, "Les Vingt-quatre Violons du roi." As well as being an editor for several music dictionaries (Éditions Bordas, Fayard) he directed the *Guide de la musique sacrée. L'âge baroque* (Fayard). He has edited numerous works of the Baroque period for publication by the Centre national de la recherche scientifique and Centre de musique baroque de Versailles. He is also the editorial supervisor for the complete critical edition of the *Œuvres complètes de Claude Debussy* for Éditions Durand, Paris.
Former Director of the Conservatoire de Musique et de Danse, Massy (Essonne) and lecturer at the Université d'Évry-Val d'Essonne (Histoire de la musique et Analyse), he regularly gives lectures in prestigious venues.

Edmond Lemaître ist ein französischer Musikwissenschaftler. Er hat am Conservatoire national supérieur de musique in Paris studiert, wo er mit einem Premier Prix de Musicologie ausgezeichnet wurde. Auf seiner Dissertation über das Orchester beruht die Rekonstruktion des Instrumentalensembles von Ludwig XIV. „Les Vingt-quatre Violons du roi". Neben seiner redaktionellen Mitarbeit an mehreren Musiklexika (Éditions Bordas, Fayard) hat er den *Guide de la musique sacrée. L'âge baroque* (Fayard) herausgegeben. Er ist außerdem Herausgeber mehrerer Werke der Barockzeit für die Ausgaben des Centre national de la recherche scientifique und des Centre de musique baroque de Versailles und verantwortlicher Herausgeber der kritischen Ausgabe der *Œuvres complètes de Claude Debussy* für die Éditions Durand, Paris.
Neben seiner Tätigkeit als Früher Leiter des Conservatoire de musique et de Danse in Massy (Essonne) und als Lehrbeauftragter an der Université d'Évry-Val d'Essonne (Musikgeschichte und Analyse) wird er auch häufig von bedeutenden Institutionen zu Vorträgen eingeladen.

Edmond Lemaître è un musicologo francese formatosi al Conservatoire national supérieur de musique di Parigi dove ha conseguito un Premier Prix de Musicologie. La sua tesi sull'orchestra è alla base della ricostruzione dell'ensemble strumentale di Luigi XIV "Les Vingt-quatre Violons du roi". Redattore per numerosi dizionari musicali (Éditions Bordas, Fayard) ha diretto la *Guide de la musique sacrée. L'âge baroque* (Fayard). Curatore di numerose opere del periodo barocco per le edizioni del Centre national de la recherche scientifique e del Centre de musique baroque de Versailles, è inoltre responsabile editoriale della monumentale edizione critica delle *Œuvres complètes de Claude Debussy* per le Éditions Durand di Parigi.
Ex direttore del Conservatoire de musique et de Danse di Massy (Essonne), tiene i corsi di Storia della musica e Analisi all'Università d'Évry-Val d'Essonne e svolge da sempre l'attività di conferenziere per prestigiose istituzioni.

Bruno Jouard, flûtiste français, né en 1979, obtient sa médaille d'or au Conservatoire de Versailles après 5 ans d'études. Admis par la suite à la Hochschule für Musik und Theater de Munich en Allemagne, il obtient ses prix de Meisterklasse de flûte, de pédagogie et musique de chambre.
Bruno Jouard est régulièrement invité en tant que musicien d'orchestre, soliste ou chambriste sous la direction de chefs tels que Zubin Mehta, Konstantia Gourzi, Hansjörg Albrecht, Enoch zu Guttenberg, Michael Luig, Daniel Grossmann.
Son intérêt pour tous les arts l'a amené à se produire avec des comédiens, danseurs et poètes, à de nombreux festivals et salles prestigieuses en France comme à l'étranger. Bruno Jouard est particulièrement actif au soutien et développement de la musique contemporaine. Il joue et créé des œuvres de compositeurs tels que Alain Louvier, Bernd Redmann, Alain Bancquart, Aurelio Edler-Copes, Harald Genzmer, Dieter Acker, Frank Michael Beyer... et enregistre régulièrement pour la radio.
Bruno Jouard est professeur d'enseignement artistique et enseigne actuellement au Conservatoire de Massy, près de Paris.

Bruno Jouard is a French flautist, born in 1979. After five years' study at the Conservatoire de Versailles he received the gold medal; thereafter he attended the Hochschule für Musik und Theater in Munich, Germany, and was awarded prizes for flute masterclass, pedagogy, and chamber music.
Bruno Jouard is frequently in demand, equally as an orchestral musician, soloist or chamber player, working with such conductors as Zubin Mehta, Konstantia Gourzi, Hänsjörg Albrecht, Enoch zu Guttenberg, Michael Luig and Daniel Grossmann.
His interest in all the arts has led him to work with actors, dancers and poets at numerous festivals and concert halls, both in France and abroad. Bruno Jouard is particularly involved in the support and development of contemporary music. He has performed and premièred the works of such composers as Alain Louvier, Bernd Redmann, Alain Bancquart, Aurelio Edler-Copes, Harald Genzmer, Dieter Acker and Frank Michael Beyer, and regularly makes recordings for the radio.
Bruno Jouard is a professor of arts education, currently teaching at the Conservatoire de Massy, near Paris.

Bruno Jouard, französischer Flötist (* 1979), absolvierte zunächst ein sechsjähriges Studium am Konservatorium von Versailles. Daran schloss er ein Meisterklasse-Studium in Flöte, Pädagogik und Kammermusik an der Hochschule für Musik und Theater München an.
Bruno Jouard wird regelmäßig als Orchestermusiker, Solist oder Kammermusiker eingeladen, mit Dirigenten wie Zubin Mehta, Konstantia Gourzi, Hänsjörg Albrecht, Enoch zu Guttenberg, Michael Luig und Daniel Grossmann zu musizieren.
Er interessiert sich auch für alle anderen Künste und hatte u.a. zusammen mit Schauspielern, Tänzern und Schriftstellern Auftritte bei zahlreichen Festivals und bei renommierten Veranstaltern in Frankreich und im Ausland. Bruno Jouard engagiert sich ganz besonders für die zeitgenössische Musik. Er spielt Uraufführungen und hat Werke von Komponisten wie Alain Louvier, Bernd Redmann, Alain Bancquart, Aurelio Edler-Copes, Harald Genzmer, Dieter Acker und Frank Michael Beyer in seinem Repertoire. Regelmäßig entstehen Aufnahmen für den Rundfunk.
Bruno Jouard unterrichtet derzeit als Professor am Conservatoire de Massy bei Paris.

Bruno Jouard, flautista francese, nato nel 1979. Dopo cinque anni di studio, ha conseguito la medaglia d'oro al Conservatoire di Versailles. In seguito è stato ammesso alla Hochschule für Musik und Theater di Monaco di Baviera, dove ha conseguito il perfezionamento in flauto, pedagogia e musica da camera.
Bruno Jouard è invitato regolarmente ad esibirsi sia come musicista d'orchestra sia come solista, o in gruppi cameristici, e ha suonato sotto la direzione di musicisti quali Zubin Mehta, Konstantia Gourzi, Hänsjörg Albrecht, Enoch zu Guttenberg, Michael Luig e Daniel Grossmann.
Il suo interesse per le arti lo ha portato a collaborare con attori, danzatori e poeti in molti festival e prestigiose sale sia in Francia sia all'estero. Bruno Jouard si dedica in particolare al sostegno e allo sviluppo della musica contemporanea. Interpreta ed effettua la prima esecuzione delle opere di compositori quali Alain Louvier, Bernd Redmann, Alain Bancquart, Aurelio Edler-Copes, Harald Genzmer, Dieter Acker, Frank Michael Beyer, e realizza regolarmente alcune registrazioni radiofoniche.
Bruno Jouard è docente di educazione artistica e attualmente insegna al Conservatorio di Massy, nei pressi di Parigi.

Musique française

Maurice Ravel
LA VALSE

Piano • *Klavier* • Pianoforte

pages : Introduction et notes d'interprétation historiques par • *Introduction and historical performing notes by*
Einleitung und Anmerkungen zur Aufführungspraxis von • *Introduzione e note storico-interpretative di*
Edmond Lemaître

pages : 64 · référence | *edition code* : DR 16169 · ISMN : 9790044082735

Maurice Ravel
SONATINE

Piano • *Klavier* • Pianoforte

Introduction et notes d'interprétation historiques par • *Introduction and historical performing notes by*
Einleitung und Anmerkungen zur Aufführungspraxis von • *Introduzione e note storico-interpretative di*
Edmond Lemaître

pages : 40 · référence | *edition code* : DR 16168 · ISMN : 9790044082728

Jean Hubeau
SONATE

Trompette et piano • *Trumpet and piano* • Trompete und Klavier • *Tromba e pianoforte*

pages : Introduction historique • *Historical introduction* • Einleitung • *Introduzione storica*
Edmond Lemaître

Notes d'interprétation • *Performing notes* • Anmerkungen zur Aufführungspraxis • *Note interpretative*
Raphaël Dechoux

pages : 52 + 8 + 8 (Partition + Partie de Trompette en Ut + Partie de Trompette en Si bémol)
référence | *edition code* : DF 16198 · ISMN : 9790044082872

Francis Poulenc
15 IMPROVISATIONS

Piano • *Klavier* • Pianoforte

Introduction et notes d'interprétation historiques par • *Introduction and historical performing notes by*
Einleitung und Anmerkungen zur Aufführungspraxis von • *Introduzione e note storico-interpretative di*
Edmond Lemaître

pages : 72 · référence | *edition code* : SLB 5944 · ISMN : 9790048060562

Claude Debussy
L'ISLE JOYEUSE

Piano • *Klavier* • Pianoforte

Introduction et notes d'interprétation historiques par • *Introduction and historical performing notes by*
Einleitung und Anmerkungen zur Aufführungspraxis von • *Introduzione e note storico-interpretative di*
Edmond Lemaître

pages : 40 · référence | *edition code* : DD 16230 · ISMN : 9790044082971

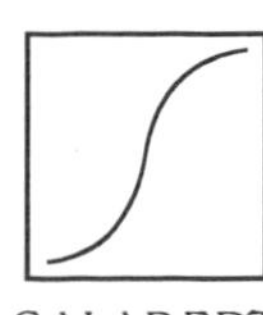